3

おすしかめんサーモンに　へんしん!

その日《ひ》から　スシオは、
スシがみさまの　まごむすめ
マッキーと　ともに、
へいわの　ために　たたかう
せいぎの　ヒーローに　なったのです。

おすしかめんサーモン

ドッキリ！ だまし絵《え》パズルじま

土門《どもん》トキオ・さく　川崎《かわさき》タカオ・え

ここは　モンジャタウンに　ある　こうえん。
小学生《しょうがくせい》の　スシオと　マグろうは、
夏休《なつやす》みの　しゅくだいを
カッパの　マッキーに
見《み》てもらっていました。

monja ship
あ〜。
絵《え》の　しゅくだい
やだな〜。
オレ、これを
先生《せんせい》に　出《だ》そうかな。
え

ププッ。そんなの　出《だ》したら、先生《せんせい》に　おこられるわよ〜。
じゃ、ボクのは？

ピラ ピラ
なんだか 思《おも》ったより すごいのが できちゃったかも。
スシオくん……た、たしかに、すごいね……。

スシオは、
頭《あたま》の　サーモンを
ピラピラさせて、
にっこりしました。

あははは。
なんだ～？　その　絵《え》は？

そのとき、　スシオたちの　後《うし》ろから
聞《き》きおぼえの　ある　声《こえ》が　しました。

あっ、
オニギリマン。
よお！
絵《え》なら　オレの　ほうが　うまいぞ。
手《て》つだってやっても　いいぞ。

オニギリマンについて
くわしく　知《し》りたい　人《ひと》は
「おすしかめん　サーモン
きょうふ！　なぞなぞ
ニギリーランド」を　読《よ》んでね。

←くろこ……どくしゃの　あんないやく

オレの 絵《え》の うでまえを みせてやる。
オニギリマンは 紙《かみ》と ふでを むりやり とると、 絵《え》を かいてみせました。
のり！
ただ紙《かみ》を 黒《くろ》く ぬった だけじゃん……

オレの　とくいなものは　まだ　あるぞ。
とくに　つりさ。
どんな　魚《さかな》も　チョイだ！
とくいなのは　それだけじゃ　ないぞ。
りょうりだって　できるし、
つった　魚《さかな》は　その場《ば》で　おさしみだ！
え
ほんと〜？

ズデ〜ン
も〜。オニギリマン、じゃましないで。あっちに 行《い》ってよ！
あ〜！オレのえが〜！

マッキーに しかられた オニギリマンは、しょんぼりして どこかに きえてしまいました。

そのとき、スシオたちの　頭《あたま》の上《うえ》で
キーンと　音《おと》が　しました。そして、
空《そら》から　むかしの　おとのさまが　のる
かごのようなものが　おりてきたのです。
中《なか》から　出《で》てきたのは――。

ぼっちゃま。
おむかえに　まいりました。
ああ、**ツナよし**か。

ぼっちゃま?
マグろうくんの 家《いえ》って お金《かね》もちなんだ!

ツナよしは、マグろうの　やしきの　じいやです。
マグろうの　家《いえ》の　ようじを　先頭《せんとう》に　立《た》って
やる　しごとを　しています。

スシオ!
これから　**たちつて島《とう》**の
べっそうに　行《い》くんだけど、
いっしょに　来《こ》ないか?
マッキーちゃんも　どうぞ!
いいだろ?　ツナよし?

はっ。もちろんでございます。
ぼっちゃま。

「べっそう」とは　今《いま》、
すんでいる家《いえ》の　ほかに、
べつに　もっている
家《いえ》の　ことだよ。

わあ〜！
行《い》く行《い》く！
うれしい！
つれていって！

こうして　スシオたちは　マグろうの
べっそうに　あそびに　行《い》くことに　なりました。
これから　どんな　おそろしい　じけんが
おこるかも　知《し》らず……。

大《だい》ずかい

わあ〜！
すごい〜！
あの　たてものが
オレの　家《いえ》の
べっそうさ。
た
フォーモアイ
ほらあな
コワ岩《いわ》

スシオたちを　のせた
ジェットきは、
モンジャタウンを　とびたち、
やがて、**たちつて島《とう》**に
やってきました。

マグろうのべっそう『たちつて島《とう》』

「た」「ち」「つ」「て」の 字《じ》が
かくれているよ。見《み》つけてみよう。
(答《こた》えは 102 ページ)

しまに　ジェットきが　おりると、スシオたちは　大《おお》きな　おやしきの　中《なか》に　あんないされました。

ささ、あちらで　ございます。

うわあ〜！　広《ひろ》い　へやだな〜。ボクんちより　広《ひろ》いや〜！

あ、そっちは　犬《いぬ》ごや。

どんだけ　広《ひろ》いのよ〜！

おやしきの　中《なか》を
すすむと、マグろうの
お父《とう》さんの　**トロのすけ**と
お母《かあ》さんの　**トロ美《み》**が
出《で》むかえてくれました。
ふたりとも　まるで、
むかしの　おとのさまと
おくがたさまのようです。

ようこそ。わが　やしきへ。
ふたりとも　ゆっくりしていってね。でも……。

海《かい》がんの　コワ岩《いわ》の　まわりには、
近《ちか》づいては　だめですよ。
おそろしい　海《うみ》の　生《い》きものに、
食《た》べられてしまうかも……。
こ、こわいわ〜！

と、そのとき。
「だ、だんなさま〜！
おくさま〜！
た、たいへんでございます〜！」
ツナよしが　顔色《かおいろ》を　かえて、
へやに　とびこんできました。
「どうした？　ツナよし。
そんなに　あわてて。」
「これを　ごらんください。
げんかんに　このような　あやしいものが！」

なんじゃ〜。これは?
いっぱい 絵《え》が かいて ありますわ……。
マグろう
を
る
4
ぬ
お
う〜〜ん……。ここは マッキーちゃんに まかせるよ。

ら
ぱ
こくご
すう
かしょ
55
りまき
こう
2
のぼり
かいとうダーマス
この本《ほん》を 読《よ》んでいる みんな！
あんごうを といて あげよう。
わたし わかった！
たとえば、
る は、
『かえ』と よむのよ！

「マグろうを　かえして　ほしいなら、
『カサとブタ』と　こうかんだ。
きょう　午後《ごご》2時《じ》　**きのこの森《もり》**に　こい。
かいとうダーマス」

かいとうダーマスは、ゆうめいな
大《おお》どろぼう。今《いま》まで　おおぜいの
お金《かね》もちが　ひがいに　あい、
町《まち》の　ニュースに　なって　いました。

『かいとう　ダーマス』っていろんな　人《ひと》に　ばけるへんそうの　名人《めいじん》だよ！　でも、正体《しょうたい》は　だれもわからないんだって。
どうせ　いたずらだろう。だいいち　マグろうは、ここにこうして　いるじゃないか。なあ、マグろう。

え〜〜〜っ？
マグロうが　絵《え》に
なってる〜！

さっきまで
いっしょだった
マグろうは、
いつのまにか
かいとうダーマスに
さらわれていたのです。

マ、マグろう……！

ダーマスは、
絵《え》を　かくのも　うまくて、
ほんもの　そっくりに　かいて、
人《ひと》を　だますらしいわ！

こうなったら、『**カサとブタ**』と
こうかんするしか　ないかしら……。

『カサとブタ』？

『カサとブタ』は　パンクシーという　人《ひと》が　かいた
ゆうめいな　絵《え》です。せかい中《じゅう》の　人《ひと》から、
『カサブタ』とも　よばれ、とても　ねだんが
高《たか》い　びじゅつひんなのです。

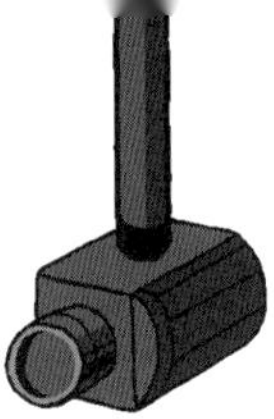

この絵《え》だ。
・・・たった
百《ひゃく》おく円《えん》のね！

ダーマスのやつめ！
『カサブタ』が　ぼうはんカメラで
しっかり　まもられていたんで、
マグろうを　さらう　さくせんに
出《で》たんだな。
ひゃ、百《ひゃく》おく円《えん》〜〜！
家《いえ》の　ぼうはんカメラを
しらべてみたら、
なにか　わかるかも……。

ヘリポート（しまに　ついた　とき）

マッキーの
ていあんで、
トロのすけは、
さっそく　カメラを
しらべてみることに
しました。

おやしきの　中《なか》（犬《いぬ》ごやを　とおりすぎた　とき）

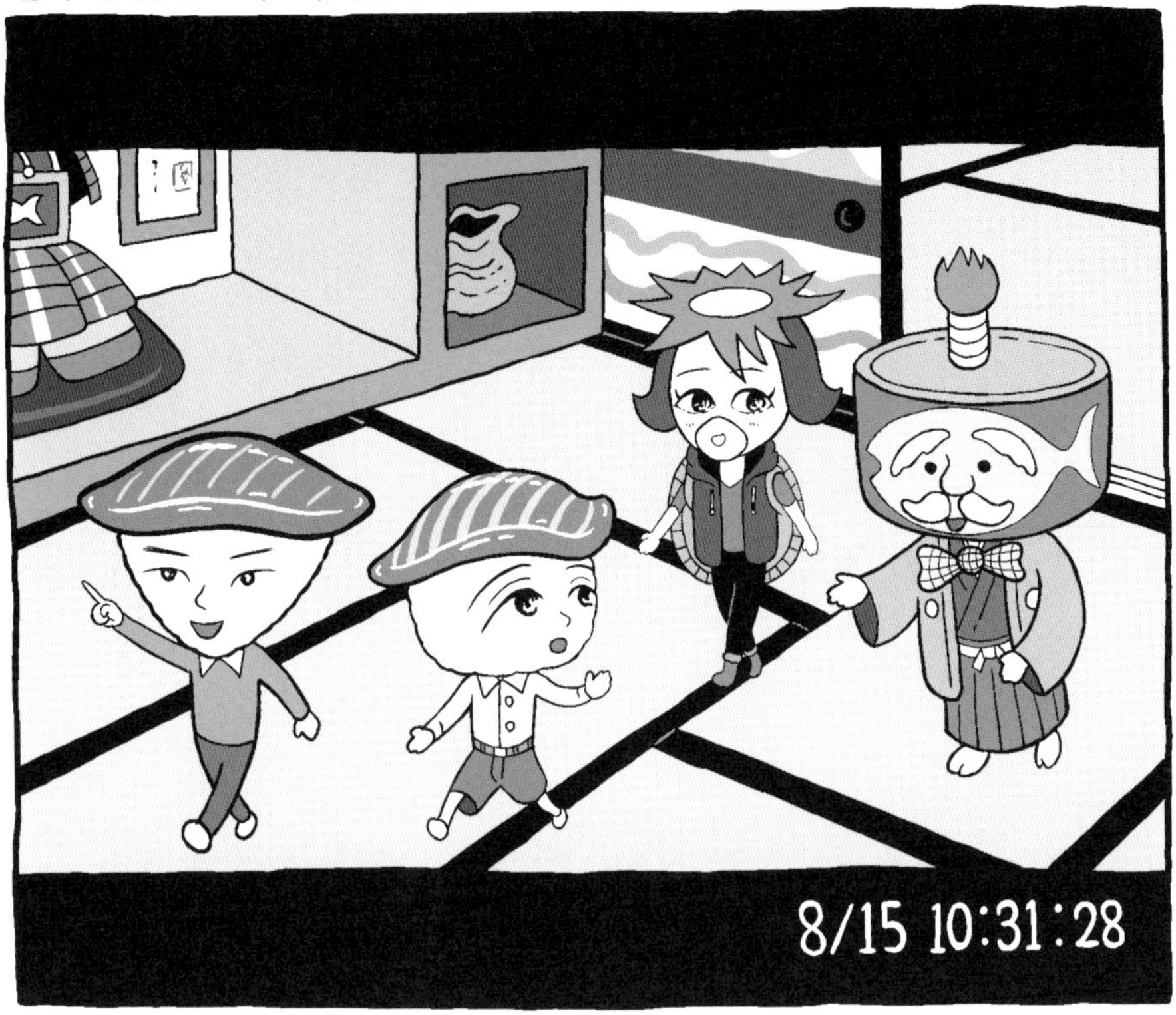
8/15 10:31:28

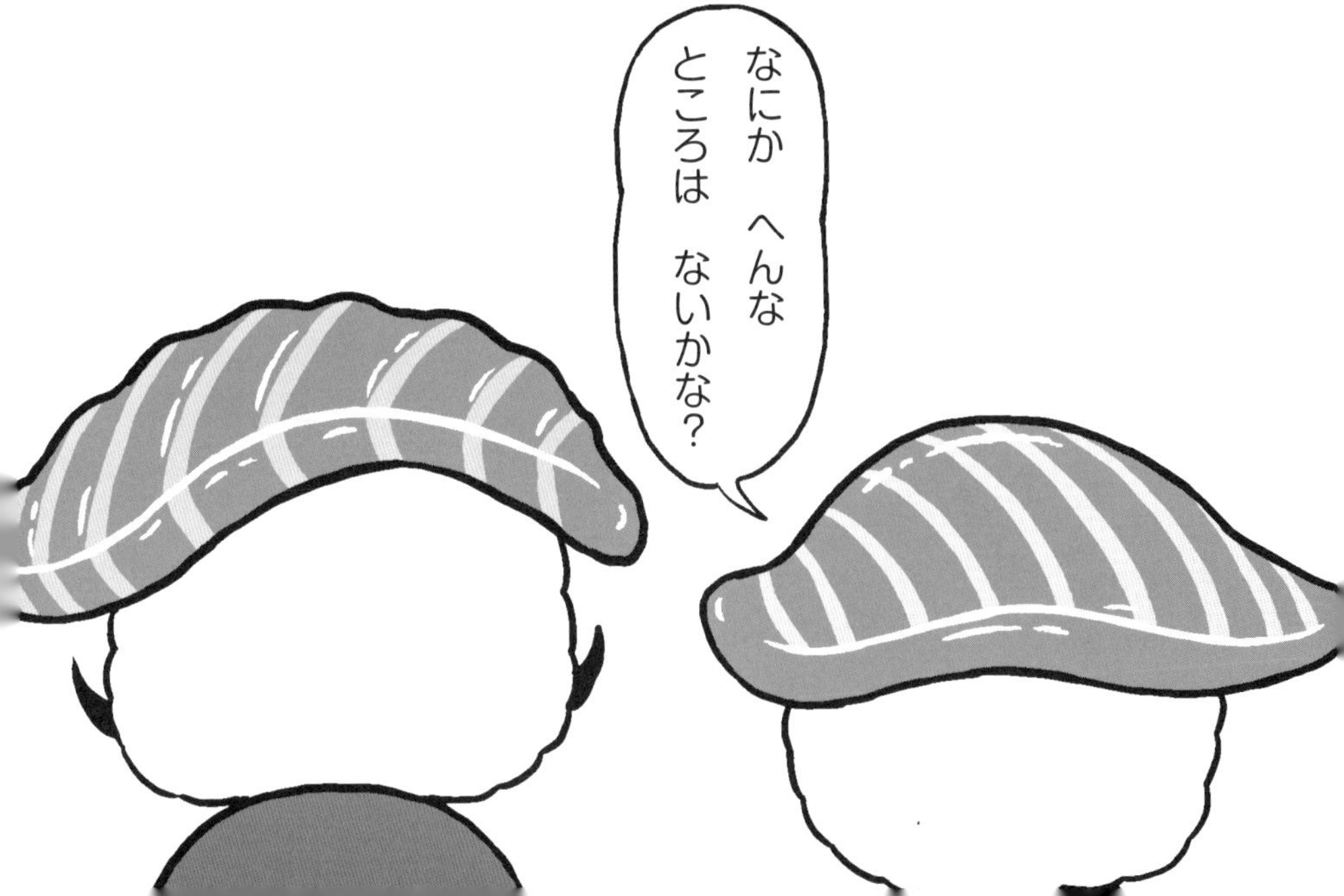
なにか　へんな　ところは　ないかな?

あっ！　ツナよしさんの　ちょんまげと　ひげと　ちょうネクタイが　ちがってるわ！
べつの　カメラには　マグろうを　さらうところが　うつってるよ！
ダーマスが　ツナよしに　へんそうしていたのか……。　**あっ！　ツナよしが　いないぞ！**　さがすんだ！

スシオたちは
手分《てわ》けして
コレクションべや
やしき中《じゅう》を
すみから　すみまで
キッチン
さがしまわりました。
トイレ

みんなが　ヘトヘトになって　あきらめかけたときです。
「みつけた！」
スシオが　ほんものの
ツナよしを　さがしだしました。
ツナよしは　広《ひろ》い「犬《いぬ》ごや」に
しばられていました。

おはずかしい　話《はなし》ですが、めがねの
あやしい　男《おとこ》に　おそわれ、
あっというまに　ねむらされて
しまいました……。

ツナよしに　へんそうした　ダーマスは、
はじめから　犬《いぬ》ごやに　かくれていて、
ほんものの　ツナよしが　来《き》たときに
入《い》れかわり、ゆだんした　マグろうを
つれさったのです。

「けいさつに　しらせましょう！」
トロ美《み》が　あわてて　でんわしようと　すると、
「やめないか！　そんなことを　したら、
マグろうが　なにを　されるか
わかったもんじゃない……。」
トロのすけに　とめられ、
トロ美《み》は　おろおろするばかり。

わたしと　スシオくんに　まかせてください！
ふたりで　マグろうくんを　とりもどします！

マッキーと　スシオを　見《み》て、
トロのすけは　しんぱいそうな　顔《かお》でしたが、
ほかに　ほうほうは　ありません。
けっきょく、『**カサブタ**』と　マグろうを
こうかんすることにしました。

えっ⁉　きいてないよ〜！
おすしかめんに　へんしんして　ダーマスを　つかまえるのよ！

やがて、やくそくの　時間《じかん》に　なりました。
トロのすけと　トロ美《み》は　**きのこの森《もり》**の
入《い》り口《ぐち》に　立《た》っています。
まわりは　うっそうとした　木《き》に　おおわれて、
昼間《ひるま》でも　きみが　わるい　森《もり》です。
スシオと　マッキー、ツナよしは　近《ちか》くの
草《くさ》むらに　かくれていました。

そのとき　とつぜん、森《もり》の　中《なか》から　あやしい
声《こえ》が　聞《き》こえてきました。

ふぉふぉふぉふぉふぉ
よくきたダマス～。

あっ！ おまえが かいとうダーマスか！ 早《はや》く マグろうを かえせ！
おっと、その前《まえ》に その『カサブタ』を こっちに わたすダマス。
ふぉふぉふぉ

ダーマスが『カサブタ』に 手《て》を ふれた その しゅんかん。

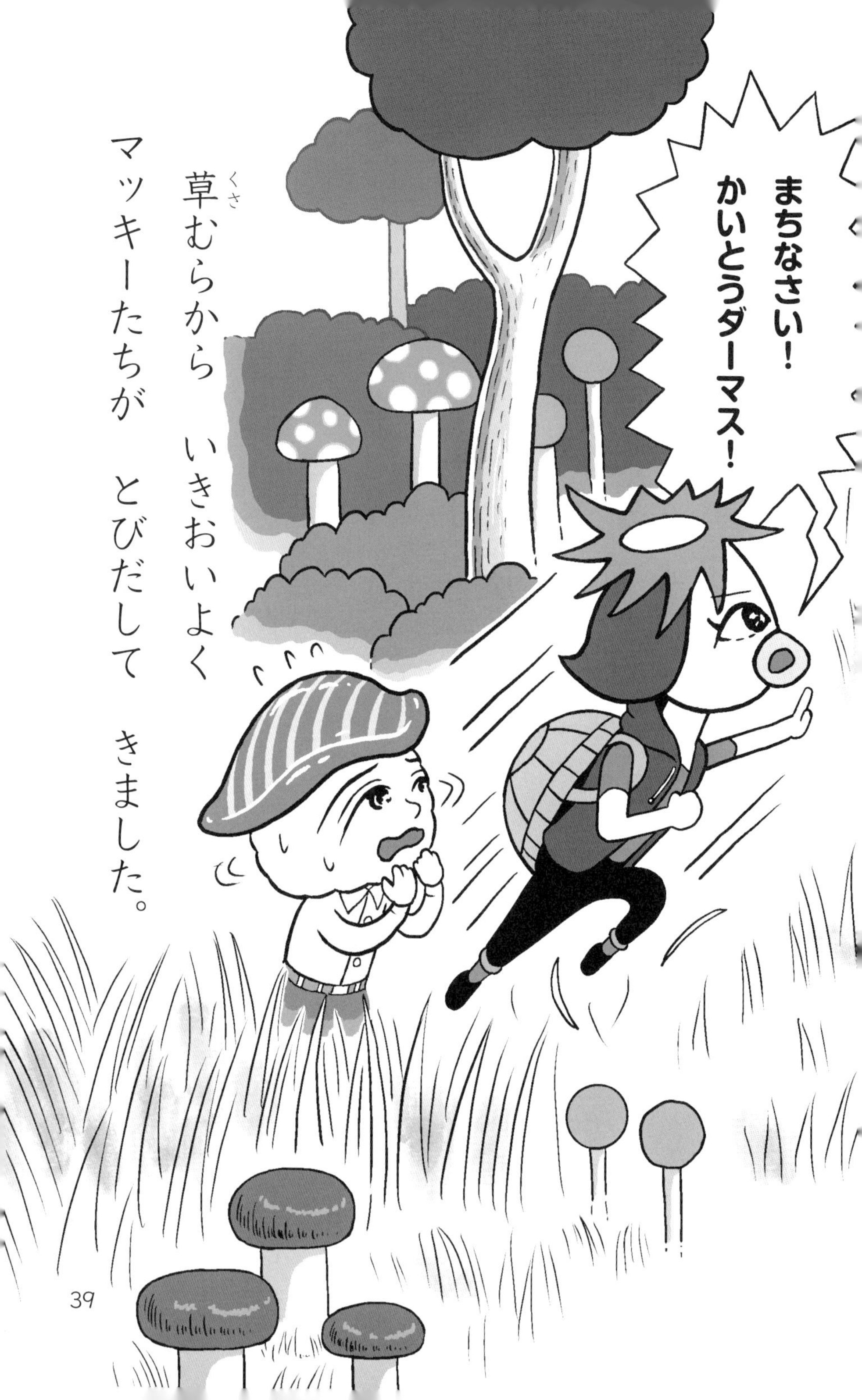
まちなさい！
かいとうダーマス！

草《くさ》むらから　いきおいよく
マッキーたちが　とびだして　きました。

「ちっ！　じゃまを　するなダマス！」

「スシオくん！　早《はや》く　へんしんして！」

「合点《がってん》！」

ヌリ
ヌリ
ほごしゃの　みなさまへ
お子《こ》さんが　まねを　しないように
ワサビは　お子《こ》さんの　手《て》が
とどかない　ところに　おいてください。

マッキーの　ことばで、スシオは
ポケットから　ハイパーワサビを
とりだすと、頭《あたま》に　ひとぬり！

スシオは　くるくると
かいてんして、おすしかめんサーモンに　へんしんしました。

おすしかめん
サーモオオオオン！
へい！おまち！
パシッ！

やい　ダーマス！　おまえの　スシかってには　させないでスシ！
うわっ！　だれダマス？　とんだ　じゃまが　入《はい》ったダマスね。　でも、わたしは　これで　しつれい〜！
おいかけるわよ！

ダーマスは　すばやい
みの　こなして、森《もり》を
すいすいと　ぬけて、
海《うみ》が　見《み》える
岩場《いわば》に　にげこみました。

しかし　そこは、トロ美《み》が　行《い》くのを
とめた　おそろしい　**コワ岩《いわ》**だったのです。

うわっ！
へんな　生《い》きものが
うようよ　いまスシ。
つかまらないように
おいかけましょ！

答《こた》えは　102ページ。

おすしかめんたちが
岩場《いわば》を　ぬけると、
目《め》の前《まえ》には　かわった
のりものが　見《み》えます。
「あっ！　ダーマスが
あそこに　いまスシ！」
「せん水《すい》ていが
よういしてあったのね。」

ダーマスの　せん水《すい》ていは　しゅっぱつし、
みるみる　遠《とお》ざかっていきます。

「『カサブタ』は
いただいたダマス。
マグろうくんは　しばらく
あずかるダマス。
ふおふおふおふおふお～。」

なにも　できずに　小《ちい》さくなっていく　せん水《すい》ていを
ただ　見《み》つめるだけの　ふたり。
ダーマスに　まんまと　にげられてしまった
おすしかめんは、遠《とお》くを　にらみ、
こぶしを　ぐっと　**にぎり**ました。
「くやしいでスシ……。
『カサブタ』まで
もちさられてしまうなんて。」

おや？　マッキーも
くやしいはずなのに、
なぜか　にやりとしました。

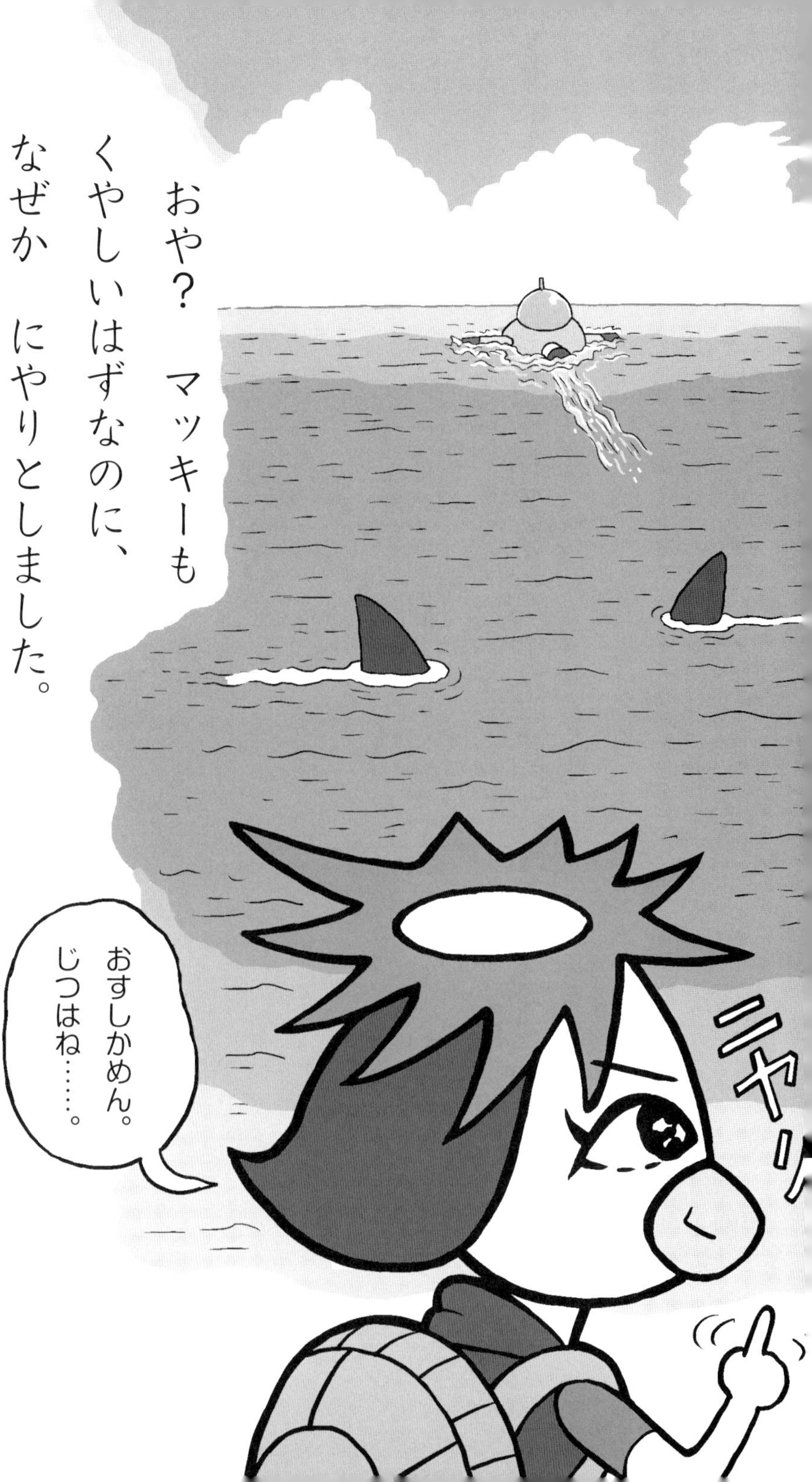
ニヤリ
おすしかめん。じつはね……。

そのころ　せん水《すい》ていでは、ダーマスが
シャケび声《ごえ》を　あげていました。
それも　そのはず。ダーマスが　もちさったのは、
『カサブタ』ではなく、
なんと、スシオが　かいた
・・
あの　ユニークな
絵《え》だったからです。
マッキーが　おやしきを
出《で》る前《まえ》に、こっそり
すりかえて　おいたのでした。

さすが マッキーさん！
でも、ダーマスは また、絵《え》を うばいにくるはず。
そなえなければ、でスシ……。

休《きゅう》けいコーナー

目《め》が つかれた 人《ひと》は
ここで いちど 休《やす》もう。

つぎの日《ひ》、おすしかめんたちは
みんなで　手分《てわ》けして
おやしきを　みはっていました。

ああ、
マグロうぼっちゃまの
ことが　しんぱいで
なりませぬ……。
ドキ
ドキ

そのとき、とつぜん

ターマスが
うだんスシ〜ー！

げんかんに　いる
おすしかめんの　声《こえ》が、
おやしきに　ひびきわたりました。

みんなが　かけつけると……。
それは　おすしかめん　そっくりに　かかれた　絵《え》でした。

あっ！　ダーマスの　声《こえ》まね　だったのね！
また、絵《え》でスシ。しかし、ダーマスの　絵《え》の　うまさは　てきながら　みごとでスシ……。
のんきなこと　いってないで！　もう　ダーマスが　しのびこんで　いるのよ！

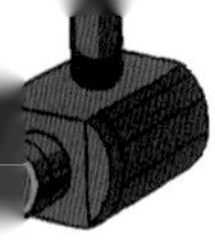

おすしかめんたちは　『カサブタ』のことが
しんぱいになり、絵《え》の　かざられている
へやに　いそぎました。
すると、

きゃ〜〜っ！

トロ美《み》が　**シャケ**んでいます。
なんと　こんどは、
トロのすけが　ふたりに
なっているでは　ありませんか。

どっちかが
ダーマスの
へんそうでスシ！

わしが ほんものだ！
なにを いう、ニセモノめ！
そっくりね……。
わたくし いつも ごいっしょして いるので、ほんものの トロのすけさまは わかります！ おまかせください。
ほんもの の トロのすけ

ニセモノは　右《みぎ》がわです！
しまったダマス！

正体《しょうたい》が　ばれた　ダーマスは、あわてて
おやしきの　外《そと》に　とびだしました。

おすしかめんたちが　いそいで　おいかけると、
ダーマスは　にわの　へいに　引《ひ》っかかって
にげられずに　います。
「ダーマス！　にがさないでスシ！」
おすしかめんと　マッキーは、
いっせいに　ダーマスに
とびかかりました。
　みごと　ダーマスを
つかまえられそうです！

……の　はずだったのですが――。
ダーマスだと　思《おも》ったのは　絵《え》でした。
おすしかめんたちは、絵《え》を　つきやぶり、
その先《さき》に　ある　がけに　とびこんで
しまったのです。

バリー
うわーっ！
でスシ！

どうにか　岩《いわ》の　ふちを
つかんだものの、ふたりは
がけに　ちゅうぶらりん。

岩《いわ》を　なんとか
にぎっていまスシ〜！
でも、下《した》には　人食《ひとく》いザメ、
いや、スシ食《く》いザメが〜っ！
おすしかめん！
手《て》を　はなさないでね一っ！

郵便はがき

1 4 1-8 7 9 0

1 0 2

料金受取人払郵便

大崎郵便局承認

9698

差出有効期間
令和5年
6月28日まで
(切手はいりません)

東京都大崎局 私書箱67号
(株)学研プラス 幼児・児童事業部

おすしかめんサーモン
ドッキリ! だまし絵パズルじま 係

オリジナルキャラクターコンテスト大《だい》ぼしゅう

応募方法：このハガキか、郵便ハガキに切手を貼ってご応募ください。 (入賞者にはオリジナル色紙などをプレ

応募しめきり：2022 年 9 月 15 日（木）まで（当日消印有効）

結果発表：学研プラス公式ブログ及び、「学研児童書編集部」Twitter アカウントにて 10 月中旬、受賞者
いたします。

コンテストに関しての問い合わせ先：学研プラスのお問い合わせサイト https://gakken-plus.co.jp/cont
「出版物の内容について」のお問い合わせフォームより、件名に「おすしかめん」とご記入の上、ご質問くだ

くわしくはこちら➡

学研プラス公式ブログ
https://gakken-ep.jp/rd/h1020555900/

「学研児童書編
https://twitter
Gakken_jidou

※何通でも応募できます。※応募いただいたキャラクターはペンネーム、学年とともに弊社 Web、SNS、
などに掲載させていただく可能性がございます。

ご住所 〒

都道
府県

お子さまの
お名前

保護者の方の
お名前

学年と年れい 小学・中学 年生 ( ) さい ペンネーム

「おすしかめんサーモン」の感想や、編集部へのメッセージをご自由にお書きください。
(以下の内容を Web、SNS、広告物などに掲載するのは [名前なしならよい・よくない])

考《かんが》えた 「おすしかめんサーモン」の　てきの　キャラクターを　かいて
てね。名前《なまえ》を　つけて、キャラクターの　とくちょうの　せつめいも　書《か》いてみよう！

※ペン、色鉛筆《いろえんぴつ》など、何《なに》でかいていただいても大丈《だいじょう》夫《ぶ》です。

キャラクターの　名前《なまえ》

とくちょう

おすしかめん！
がんばれ！
おすしかめんどのーっ！
ああ〜！
風《かぜ》で　頭《あたま》の　サーモンが
はがれそうでスシ〜〜！
ピュ〜ー
ブヘッ
わふっー！
おすしかめんは　頭《あたま》の
サーモンが　はがれると、
たましいが　ぬけたように
なってしまうよ。

ああ、おすしかめんたちは
このまま、サメの　えじきに
なってしまうのでしょうか？

そのとき、空《そら》から
きよ大《だい》オニギリが　とんできて、
ふたりを　うけとめたのです。

きょ大《だい》オニギリが、あんぜんな　ところに　着《ちゃく》りくし、中《なか》から　出《で》てきたのは……。

ウィーーン
なんと、オニギリマンでした。

よお！　やっぱり、おまえたちが　気《き》になって　きてみたんだ。どんなもんだい！オレの　**コロリンごう**の力《ちから》は？

あっ！オニギリマン！ありがとう。たすかったわ……。

ふぉふぉふぉふぉふぉふぉふぉ。この　しょうぶ　わたしの　かちダマス！
あっ！　マグろうくん！　うーん……。こんなとき、おすしかめんの　頭《あたま》に　のせる　**サーモン**さえ　あれば……。
よしっ！　オレに　まかせろ！

すると、木《き》の　かげから
ダーマスが　あらわれました。
そばには　つかまった　マグろうも……。

オニギリマンは
コロリンごうから
つりどうぐを　とりだすと、
いきなり　つりを　はじめました。
まってろよぉ！
おすしかめん！
よし、
このあたりなら
サメも
いなさそうだ…
すると、すぐに
つりざおに　はんのうが……。
来《き》た！
来《き》た！
来《き》た——っ！

オニギリマンは、あっというまに 大《おお》きな サーモンを つりました。

どうだい！ オレの うでまえは！

そして、目《め》にもとまらぬ はやさで その サーモンを、ちょうりし、おさしみを 作《つく》って しまったのです。

しんせんサーモン！ いっちょうあがり！

うそじゃ なかったのね……

マッキーが、その　おさしみを
おすしかめんの　頭《あたま》に　のせると……。

おすしかめん
サーモォォォォン!
へい!　おまち!
もう　スシかっては　させないでスシ。さあ、マグロうくんを　わたしなさい!

せいぎの
ヒーローは　みごと
ふっかつしたのです。

そこに　トロのすけたちも　かけつけてきました。
オニギリマンや　マッキーも、ダーマスの　行《ゆ》く手《て》を
とおせんぼ。

むむ！
きみたちには
つかまらないダマス。
それなら、
これは　どう？
後《うし》ろの　森《もり》を
見《み》るダマス！

ガオオオーッ！
なんと、ダーマスはおそろしい かいぶつをよびだしたのです。

「わあああっ！　食《た》べられる〜〜〜っ！」
おすしかめんたちは　どこに　にげたらいいか　わからず、
あちこちに　かくれました。
ところが、かいぶつが
おそってくる　けはいは　ありません。
おそるおそる　岩《いわ》の　かげから
のぞくと……。
どくしゃの　みんなの
そうぞうのとおり！

あの　おそろしい　かいぶつは、
絵《え》だったのです。
見《み》ると、ダーマスが　かいだんを
おりて　海《うみ》へ　にげる　さいちゅうでした。

ガオオオオーーッ!
あっ、ばれたダマス!

「まてーっ！　ダーマス！」
おすしかめんたちが　ダーマスを　おって、
海《うみ》べに　出《で》ると、出《で》てきたのは
ビルほどの　きょ大《だい》な　カニ。

あははははは。
もう　だまされないぞ！
どうせ　また、絵《え》でスシ！

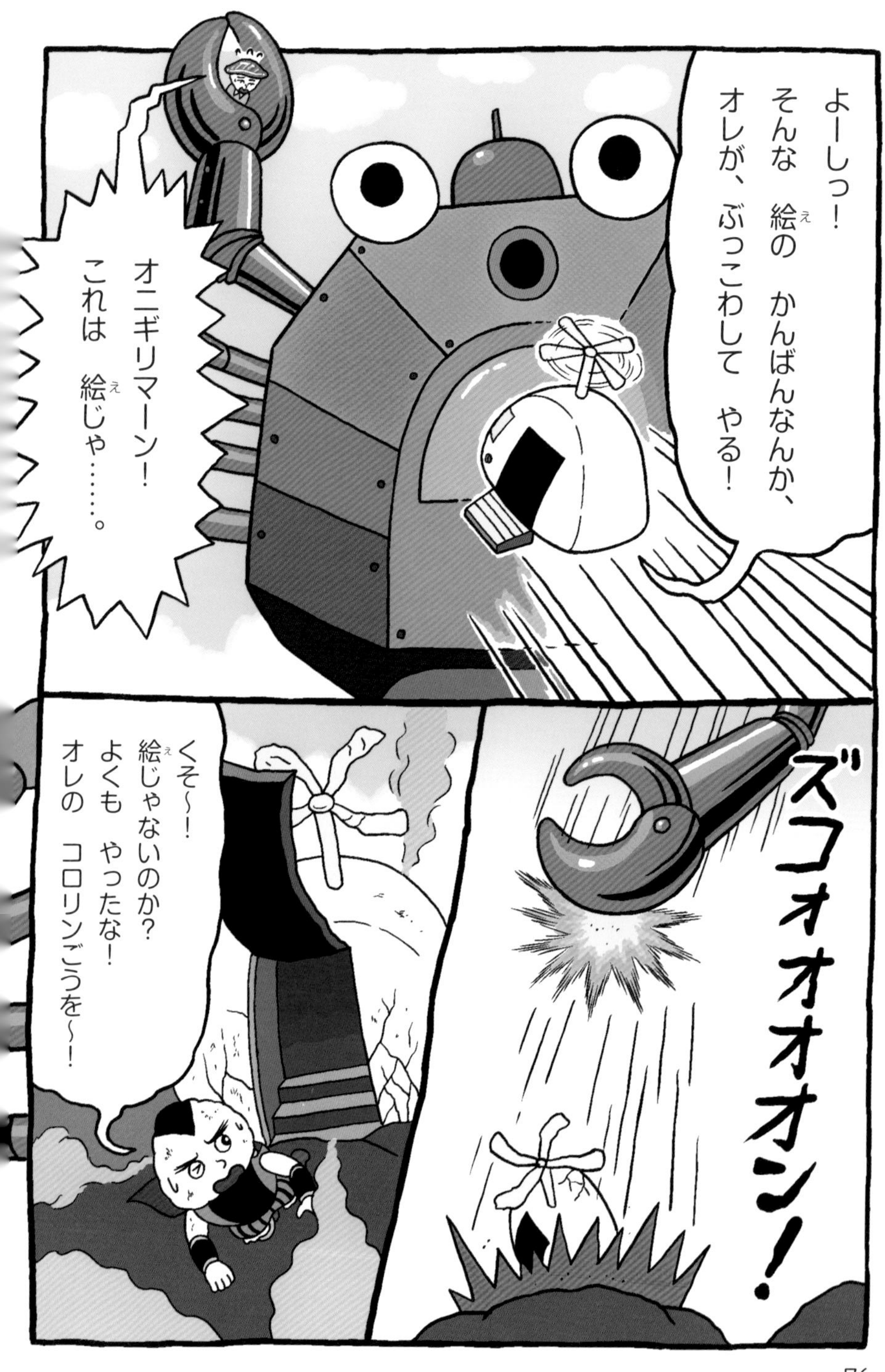
よーしっ！
そんな 絵《え》の かんばんなんか、
オレが、ぶっこわして やる！
オニギリマーン！
これは 絵《え》じゃ……。
ズコォオオオン！
くそ～！
絵《え》じゃないのか？
よくも やったな！
オレの コロリンごうを～！

よく　見《み》ると、
きょ大《だい》ガニの　中《なか》に
そうじゅうせきが
見《み》えます。
そこには
ダーマスの
すがたも！

ふぉふぉふぉふぉふぉふぉ。
これは　わたしの　はつめいした
ロボット　**バサミー**ダマス！
さあ、『カサブタ』と　マグろうくんを
こうかんするダマス。

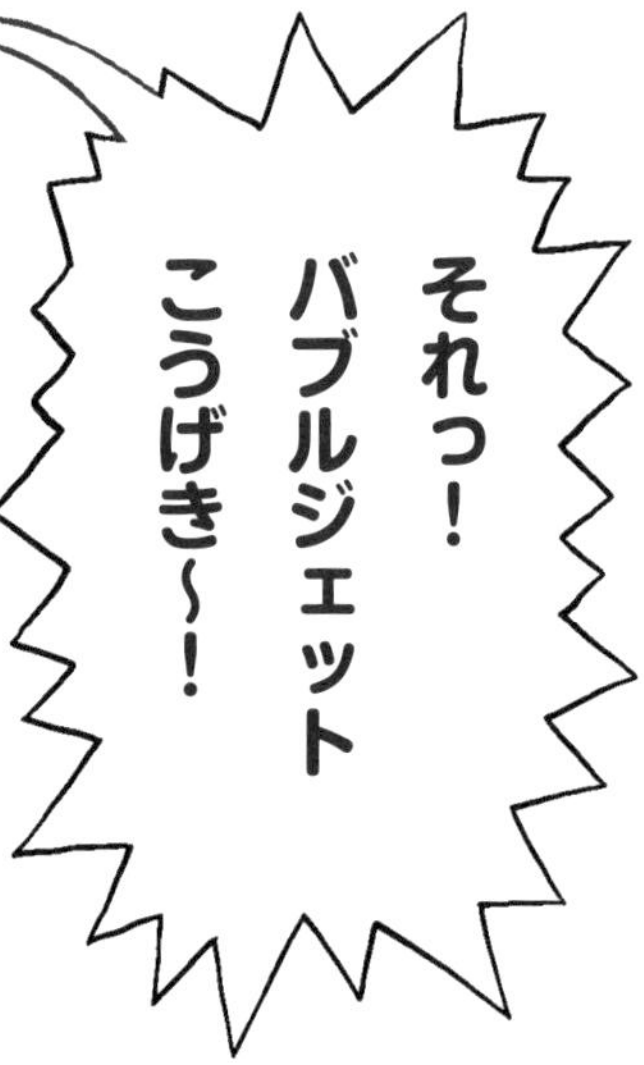
それっ！
バブルジェット
こうげき〜！

バサミーは　きょうれつな
あわを　ふきだし、
あたりいちめんは
みるみるうちに、あわだらけに。
おすしかめんたちは
あわの　中《なか》を　すすむしか
ありません。

あわわわわ〜！
あわの　中《なか》を
すすみましょ！

答《こた》えは　103ページ。

なんとか　バサミーに　近《ちか》づけたわ。
さあ！　マグろうくんを
たすけださないと……。
いい　ほうほうが
ありまスシ！
そのとき、　バサミーの
きょ大《だい》な　はさみが、
おすしかめんの　目《め》の前《まえ》に
せまってきたのです！

なんと　おすしかめんは、バサミーの　するどい
はさみで、まっぷたつに　されてしまいました。

ああ！　おすしかめんは、
やられてしまったのでしょうか？

ちがいます！　よく　見《み》ると　それは　絵《え》でした。

ほんものの　おすしかめんが
わらって　いいました。

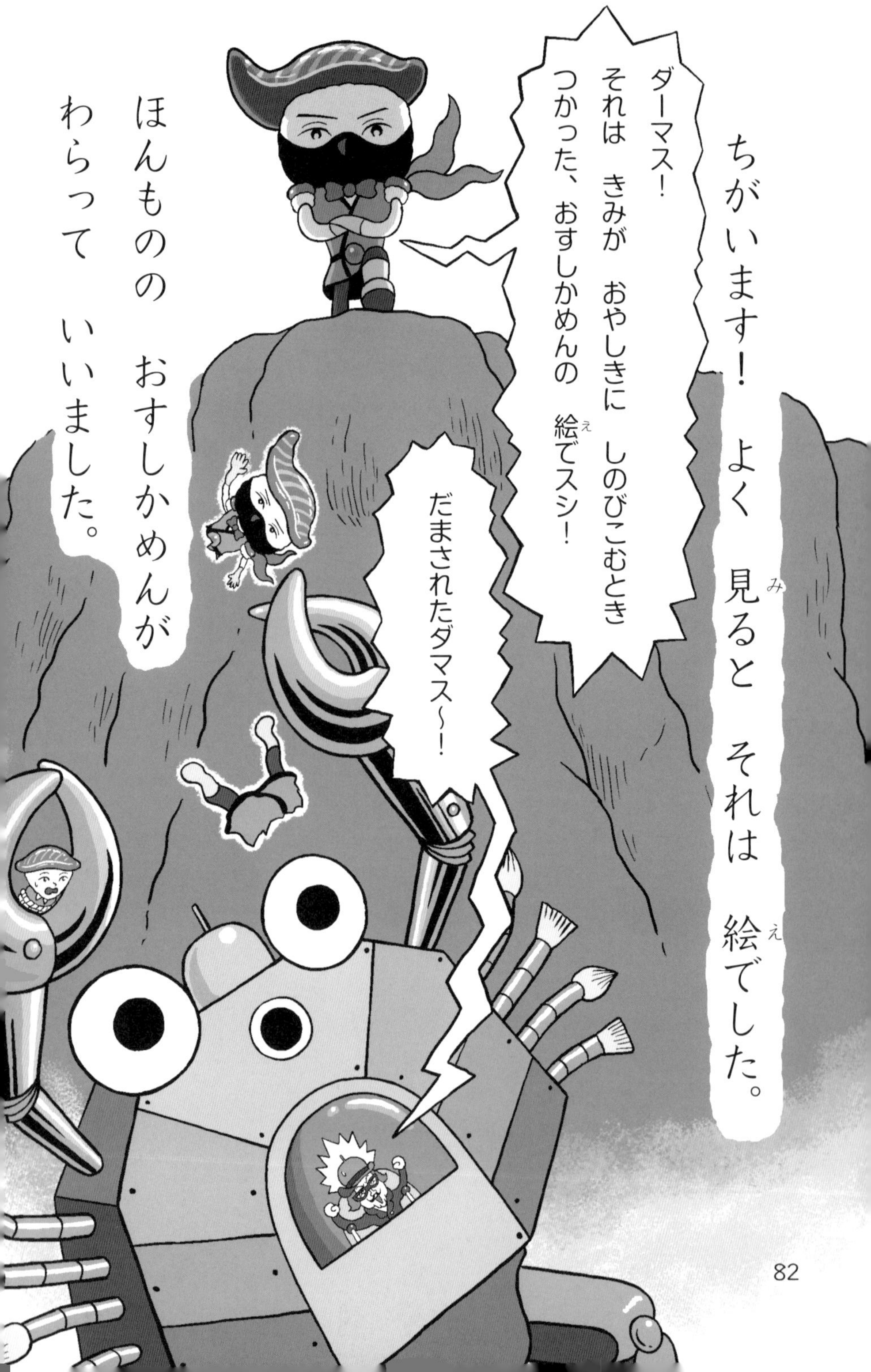
ダーマス！　それは　きみが　おやしきに　しのびこむとき　つかった、おすしかめんの　絵《え》でスシ！
だまされたダマス～！

こんどは　わたしの　こうげきでスシー！
ひっさつ！
イクラフラーッシュ

おすしかめんが　はなった　とくせいイクラは、
バサミーの　そうじゅうせきの　まどを
びっしり　ふさいでしまいました。
なにも　見《み》えない　ダーマスは、

ズシ〜〜ン！

そばに　ころがっていた
コロリンごうに
つまずいてしまいました。

マグろう、おかえり！
みんな！ありがとう！

マグろうが　もどって
よろこんでいる　すきに、
ダーマスは　しまの
中《なか》に　にげこみました。
おすしかめんたちも
おいかけます。

しまの　中《なか》を　走《はし》りまわり、ついに　ダーマスを
おいつめた　おすしかめんたち。
すると、そこには　たくさんの　ダーマスが
いるではありませんか。

あーっ！　ダーマスが　いっぱい　いるでスシ！
また、絵《え》か！

この中《なか》に　きっと
ほんものが
いるはずよ……。
みんなは　どれが
ほんものの　ダーマスか
わかるかな?
答《こた》えは　103ページ。

さすが　絵《え》の　名人《めいじん》の　ダーマス。
おすしかめんたちは　なかなか　ほんものを
見《み》つけだすことが　できません。
「みんな、オレの　せいで　ごめん……。」
さっきまで　ダーマスに
つかまっていた　マグろうは、
くやしなみだを
こぼしました。

「そうだ！
おすしかめん
これを　頭《あたま》に
のせて！」
マッキーは、
リュックから
ハイパーオニオンを
とりだし、
おすしかめんに
わたしました。

なみ・・だ・！

これは　スシがみさまの
とくべつな　タマネギ。
おすしかめんサーモンが
頭《あたま》に　のせると、ひみつの
パワーが　生《う》まれるぞ。

おすしかめん
オニオンサーモオオオオン！

すると、おすしかめんは
ハイパーオニオンの力《ちから》で
パワーアップしたのです。

たくさん
ある　ダーマスの
絵《え》の　ひとつが、
タマネギで
目《め》が　しみて、
思《おも》わず　なみだを
こぼしました。
「ダーマス！　ついに　見《み》つけたでスシ！」

オニオンスライススしゅりけん！
うわっ！

こうして　ほんものの　ダーマスは　つかまり、
じけんは　かいけつしました。
トロのすけが　けいさつに　れんらくし、
ダーマスが　パトカーに　のせられます。

長《なが》かった　かいとうダーマスとの
たたかいも　おわり、みんなは　ほっとしました。
「やれやれでスシ。」
おすしかめんも　えがおに　なって……

……いません。けいさつにつかまったばめんは、またしてもダーマスがよういした絵《え》だったのです。

しつこすぎるでスシ……。
ダーマスが
モンジャしんぶんしゃ
長《なが》かった　かいとうダーマスと
たたかいも　おわり、
「やれやれでスシ。」
おすしかめんも　えが

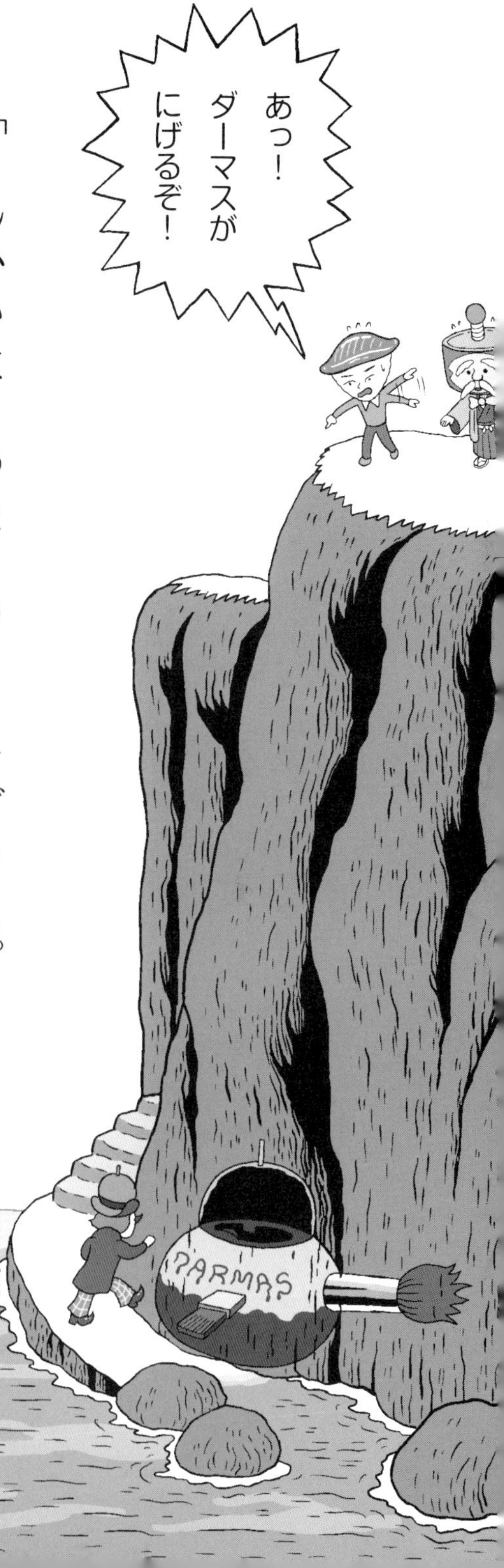
あっ！
ダーマスが
にげるぞ！

「こんかいは　わたしの　まけダマス。
だが、また　近《ちか》いうちに　会《あ》いましょう！」
みんなが　絵《え》に　気《き》を　とられている　すきに、
ダーマスは　岩場《いわば》に　おりて、とめてあった
せん水《すい》ていに　のりこむ　ところでした。

ところが　ダーマスが　せん水《すい》ていの　入《い》り口《ぐち》に　とびこむのと　同時《どうじ》に――
ン？
DARMAS
ガラガラガッシャーン！
ひゃ～～っ！
上《うえ》から　てつごうしが　おりてきたのです。

なんと　せん水《すい》ていは　絵《え》だったのです。
マッキーが　きのうの　夜《よる》、
ほらあなに　かいたものでした。
そして、そこを　おすしかめんが
ろうやに　かいぞうしたのです。
あまりに　じぶんの
せん水《すい》ていに　そっくりに
かけていたので、ダーマスも
だまされたのでした。

こうして　ダーマスは　つかまり、　じけんも
ぶじ　かいけつ。　トロのすけたちに
えがおが　もどってきました。

「オレも　こうえんでは
ごめん……。」

マグろうに　ほめられた
オニギリマンは　てれくさそうです。

おすしかめん
ありがとう！
オニギリマンも　いがいと
かっこよかった……。
ちょっぴり　みなおしたかも。
友《とも》だちでスシね！

マグろうは　にっこりして、
おすしかめんと　オニギリマンと
かたく　手《て》を　**にぎり**ました。

（おしまい）

モンジャしんぶん

モンジャしんぶんしゃ
モンジャタウン3ちょう目《め》
テッパンビル7かい

かいとうダーマス　たいほ！

このところ　モンジャタウンを　さわがせていた　かいとうダーマスが　おすしかめんサーモンの　かつやくで　ついに　たいほされた。

　ダーマスは　へんそうの　名人《めいじん》として　知《し》られているが、その　正体《しょうたい》は　ものまねげいにんの「カニクリームコロッケ」で　あることが　わかった。

たいほされた　カニクリームコロッケ

テレビでは　タレントそっくりの　ものまねで　人気《にんき》ものであったが、その　へんそうの　テクニックで、ぬすみを　はたらいていたと　みられる。

　また、ダーマスは　絵《え》の　さいのうも　あり、ほんものそっくりに　かける　力《ちから》を　りようして、けいさつの　そうさの　目《め》を　くぐりぬけていた。

おてがらの　おすしかめんサーモンさん、
マグろうさん、マッキーさん、オニギリマンさん

おすしくん

きょうは おうちで おすし つくろうね！
わーい
ママー わさびは どこ～？
チューブに はいったの あるでしょ
す
フン♪ フン
フ～ン♥
なんか あたまが ス～ス～する～
ス～ス～
は・・・ はみがきこ ぬられたな！
はみがき

なぞの パンクシーの 絵《え》 はっ見《けん》！

このたび、ナンジャこうえんで、なぞの　画家《がか》として　ゆう名《めい》なパンクシーの　絵《え》と　思《おも》われる作《さく》ひんが　見《み》つかった。

こうえんで　そうじをしていた　かんり人《にん》がたまたま　見《み》つけたもので、せん門家《もんか》の　間《あいだ》でも　話《わ》だいをよんでいる。

なお、絵《え》はモンジャびじゅつかんにかざられ、こうかいされるよていだ。

え

はっけんされた　パンクシーと　思《おも》われる　作《さく》ひん

小学生《しょうがくせい》はつめいコンクール　タコ太《た》くん　じゅしょう！

「小学生《しょうがくせい》はつめいコンクール」でモンジャ小学校《しょうがっこう》（1年生《ねんせい》）海野《うみの》タコ太《た》くんがゆうしゅうしょうをじゅしょうした。

作《さく》ひんは、「雨《あめ》の日《ひ》ジョウロ」。ジョウロに　かさが　ついていて、雨《あめ》が　ふっても　花《はな》に　水《みず》をやれる　点《てん》が　しんさいんに高《たか》く　ひょうかされた。

「雨《あめ》の日《ひ》ジョウロ」と
タコ太《た》くん

答《こた》えのページ

P14~15の 答《こた》え

マグろうの べっそう『たちつて島《とう》』 大《だい》ずかい
おやしき
ヘリポート
フォーモアイ
きのこの森
ほらあな
コワ岩
あの たてものが オレの べっそうさ
わあ～～ すごい～～
スシオたちを のせた ジェットきは、モンジャタウンを とびたち、やがて、たちつて島《とう》に やってきました。
「た」「ち」「つ」「て」の 字が かくれているよ。見つけてみよう。
（答えは 102 ページ）

P44~45の めいろの 答《こた》え

うわっ～ へんな 生きものが うようよ いまスシ。
つかまらないように おいかけましょ～
答えは 102 ページ。

P78~79の　めいろの　答《こた》え

それっ！
バブルジェット
こうげき〜！
バサミーは　きょうれつな
あわを　ふきだし、
あたりいちめんは
みるみるうちに、あわだらけに。
おすしかめんたちは
あわの　中を　すすむしか
ありません。
あわわわわ〜！
あわの　中を
すすみましょ！

P86～87の　答《こた》え

しまの　中を　走りまわり、ついに　ダーマスを
おいつめた　おすしかめんたち。
すると、そこには　たくさんの　ダーマスが
いるではありませんか。
あーっ！
ダーマスが　いっぱい
いるでスシ！
また、絵か！
この中に　きっと
ほんものが
いるはずよ……

うら表紙《ひょうし》の
まちがいさがしの
答《こた》え

おすしかめんサーモン

ドッキリ！ だまし絵パズルじま

2022年8月2日　　第1刷発行

作　　土門トキオ
絵　　川崎タカオ

発行人　　小方桂子
編集人　　工藤香代子
企画編集　　永渕大河
校正　　菊沢正子
デザイン・DTP　　小林峰子
画像加工　　松園徳子

発行所　　株式会社　学研プラス
〒141-8415　東京都品川区西五反田2-11-8
印刷所　　図書印刷株式会社

この本に関する各種お問い合わせ先
●本の内容については、下記サイトのお問い合わせフォームよりお願いします。
https://gakken-plus.co.jp/contact/
●在庫については　Tel 03-6431-1197（販売部）
●不良品（落丁、乱丁）については　Tel 0570-000577
学研業務センター 〒354-0045 埼玉県入間郡三芳町上富279-1
●上記以外のお問い合わせは　Tel 0570-056-710（学研グループ総合案内）

学研の書籍・雑誌についての新刊情報・詳細情報は、下記をご覧ください。
学研出版サイト　https://hon.gakken.jp/

広《ひろ》すぎる　べっそう

どうぞ ごゆっくり。
ひろ〜い!
たたみだらけ〜
ちょっと トイレに 行ってこよう。
——1時間《じかん》後《ご》。
おそいね……。
どうしたのかしら。
ごめん ごめん まよってしまった。
ハア ハア ハア
どんだけ 広《ひろ》いんだ〜?

お絵《え》かき　しょうぶ!

マッキー、絵《え》の しょうぶダマス!
まけないわよ!
あの リンゴを じょうずに かいたほうが かちダマス!
できたダマス!
どうだ!?
できたわよ!
ひえ〜〜!
うまい〜